这是我的书 It's MY BOOK 7级：400字

我们的家园

郊区的快乐

作者：秦志宁（Zhining Chin）
配图：秦志宁（Zhining Chin）

北京语言大学出版社
BEIJING LANGUAGE AND CULTURE UNIVERSITY PRESS

PHOENIX TREE
PHOENIX TREE PUBLISHING INC.

识读　屋　沙　滑梯　接　远

社区　棋　帮助　健康

句型　常常……

字数　426字

jiāo qū zài chéng shì de sì zhōu, lí chéng shì
郊区在城市的四周，离城市
bù yuǎn. jiāo qū de fáng zi hěn piào liang, hěn duō dōu
不远。郊区的房子很漂亮，很多都
shì dú lì de liǎng céng xiǎo lóu. wū qián wū hòu huì yǒu
是独立的两层小楼。屋前屋后会有
cǎo dì, yuàn zi li zhòng zhe piào liang de huā, yǒu de
草地，院子里种着漂亮的花，有的
yuàn zi li hái yǒu
院子里还有
hái zi wán de shā
孩子玩的沙
kēng hé huá tī.
坑和滑梯。

zhè xiē fáng zi dōu lí de bù yuǎn què yě méi
这些房子都离得不远，却也没
yǒu jǐ zài yì qǐ jiāo qū de jiē dào dōu shì wān de
有挤在一起。郊区的街道都是弯的，
hěn shǎo yǒu zhí de lù shang de chē kāi de yě bú
很少有直的。路上的车开得也不
kuài duì chē liàng hé xíng rén dōu hěn ān quán hái zi men
快，对车辆和行人都很安全。孩子们
cháng cháng zài rén xíng dào shang qí zì xíng
常常在人行道上骑自行
chē dà ren men yǒu de
车；大人们有的
zǒu lù yǒu de pǎo
走路，有的跑
bù yǒu de hái dài
步，有的还带
zhe gǒu yì qǐ pǎo hái yǒu
着狗一起跑；还有
yì xiē lǎo rén lā zhe gǒu màn màn zǒu
一些老人拉着狗慢慢走。

zhù zài jiāo qū de rén hěn duō dōu zài chéng shì
住在郊区的人很多都在城市

gōng zuò dà duō shù rén kāi chē qù chéng li shàng bān
工作，大多数人开车去城里上班，

yě yǒu rén zuò gōng gòng qì chē qù zhù de yuǎn yì xiē
也有人坐公共汽车去。住得远一些

de jiù zuò huǒ chē qù shàng bān
的，就坐火车去上班。

jiāo qū yě yǒu xué xiào xiào chē lái jiē sòng
郊区也有学校。校车来接送

xué shēng shàng xué huí jiā lù bù yuǎn zuò xiào
学生上学、回家。路不远，坐校

chē hěn kuài jiù néng dào xué xiào shàng xué shí xiào
车很快就能到学校。上学时，校

chē huì xiān jiē zhōng xué shēng zài jiē xiǎo xué shēng
车会先接中学生，再接小学生；

fàng xué shí xiào chē huì xiān sòng zhōng xué shēng zài
放学时，校车会先送中学生，再

sòng xiǎo xué shēng
送小学生。

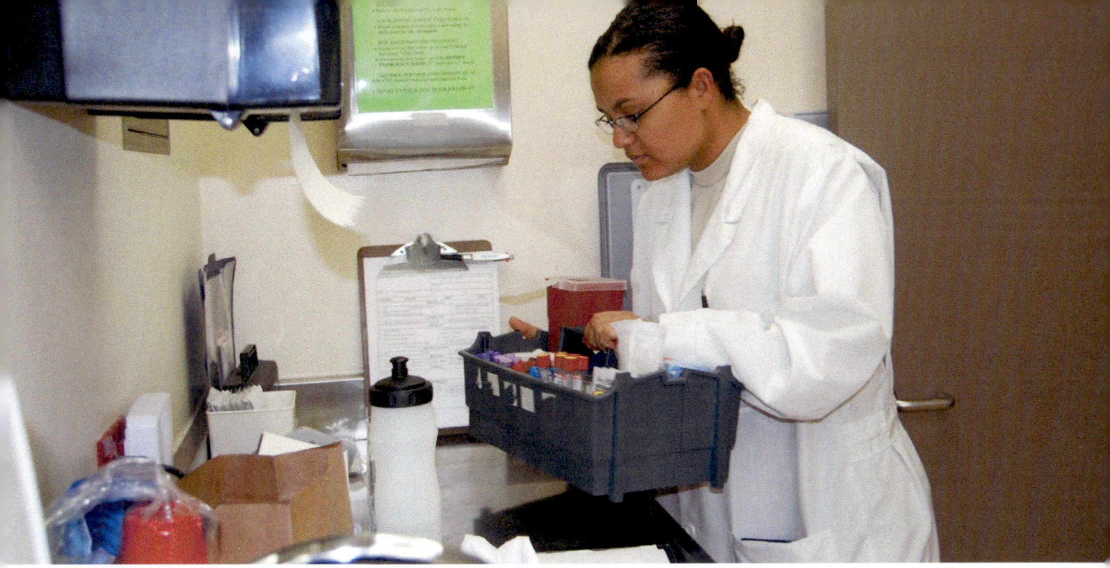

jiāo qū de jū mín qū zhōu wéi yǒu shāng chǎng
郊区的居民区周围有商场、
gōng yuán wèi shēng suǒ hái yǒu shè qū huó dòng
公园、卫生所，还有社区活动
zhōng xīn zài huó dòng zhōng xīn dà jiā kě yǐ xià
中心。在活动中心，大家可以下
qí huà huàr chàng gē tiào wǔ hái kě yǐ
棋、画画儿、唱歌、跳舞，还可以
xué diàn nǎo xué zuò cài yì qǐ chū qu jiāo yóu
学电脑、学做菜、一起出去郊游。
huó dòng zhōng xīn lǐ
活动中心里
miàn hěn rè nao
面很热闹！

hái zi men fàng xué hòu yě huì qù shè qū huó
孩子们放学后也会去社区活
dòng zhōng xīn zài nà li tā men kě yǐ yóu
动中心。在那里，他们可以游
yǒng dǎ qiú huá bīng hái yǒu hěn duō xué shēng
泳、打球、滑冰。还有很多学生
huì qù shè qū tú shū guǎn tā men bù jǐn kě yǐ zài
会去社区图书馆，他们不仅可以在
nà li kàn shū hái kě yǐ yòng diàn nǎo shàng wǎng
那里看书，还可以用电脑上网。

rén men zài jiāo qū guò de zì yóu zì zài dà
人们在郊区过得自由自在，大
jiā xiāng hù zūn zhòng xiāng hù bāng zhù shēng huó de
家相互尊重、相互帮助，生活得
hěn jiàn kāng hěn kuài lè
很健康、很快乐！

1 郊区在城市的四周，离城市不远。郊区的房子很漂亮，很多都是独立的两层小楼。屋前屋后会有草地，院子里种着漂亮的花，有的院子里还有孩子玩的沙坑和滑梯。

2 这些房子都离得不远，却也没有挤在一起。郊区的街道都是弯的，很少有直的。路上的车开得也不快，对车辆和行人都很安全。孩子们常常在人行道上骑自行车；大人们有的走路，有的跑步，有的还带着狗一起跑；还有一些老人拉着狗慢慢走。

3 住在郊区的人很多都在城市工作，大多数人开车去城里上班，也有人坐公共汽车去。住得远一些的，就坐火车去上班。

4 郊区也有学校。校车来接送学生上学、回家。路不远，坐校车很快就能到学校。上学时，校车会先接中学生，再接小学生；放学时，校车会先送中学生，再送小学生。

5 郊区的居民区周围有商场、公园、卫生所，还有社区活动中心。在活动中心，大家可以下棋、画画儿、唱歌、跳舞，还可以学电脑、学做菜、一起出去郊游。活动中心里面很热闹！

6 孩子们放学后也会去社区活动中心。在那里，他们可以游泳、打球、滑冰。还有很多学生会去社区图书馆，他们不仅可以在那里看书，还可以用电脑上网。

7 人们在郊区过得自由自在，大家相互尊重、相互帮助，生活得很健康、很快乐！

1

2

3

4

5

6

看图讲故事

7